CARLINGWOOD

Traditions amérindiennes

Un livre de bricolage

Texte de Maxine Trottier

Illustrations de Esperança Melo

Texte français de Dominique Chauveau

Les éditions Scholastic

À la mémoire de mon ancêtre
Margeurite Ouabankikove

Je désire remercier Ronald Doyle, Ann Fantz, Mary Elijah,
Cynthia Smith et Pat Cornelius pour leur aide
lors de la réalisation de cet ouvrage, et leur grande sagesse.

Données de catalogage avant publication (Canada)

Trottier, Maxine
  Traditions amérindiennes : un livre de bricolage

(Artisanat)
Traduction de : Native crafts : inspired by North America's first peoples.
ISBN 0-439-00547-7

1. Artisanat - Ouvrages pour la jeunesse. 2. Art indien d'Amérique - Amérique du
Nord - Ouvrages pour la jeunesse. 3. Indiens d'Amérique - Amérique du Nord -
Costume - Ouvrages pour la jeunesse. I. Melo, Esperança. II. Chauveau,
Dominique. III. Titre. IV. Collection.

TT160.T7614 1999   j745.5   C99-932472-1

Rédaction de Laurie Wark

Conception graphique de Karen Powers

Édition publiée par Les éditions Scholastic, 175, Hillmount Road,
Markham (Ontario) L6C 1Z7, avec la permission de Kids Can Press Ltd.

5 4 3 2 1   Imprimé à Hong-Kong   0 1 2 3 4 / 0

Table des matières

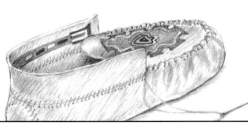

Introduction

Si tu pouvais retourner en arrière, dans le temps, et parcourir ce que nous appelons l'Amérique du Nord, tu trouverais cette région fort différente de ce qu'elle est aujourd'hui. Aucune autoroute ne traversait les terres. Il n'existait aucune ville, aucun magasin. Néanmoins, les autochtones qui y vivaient avaient à leur portée tout ce qu'il leur fallait pour fabriquer leurs vêtements et leurs habitations, pour nourrir leur corps et leur esprit.

Les autochtones étaient devenus experts dans l'art d'utiliser ce que la nature leur offrait. Les poupées et les mocassins étaient différents d'un bout à l'autre du continent, selon les matériaux disponibles. Certains objets artisanaux étaient utilisés tous les jours, d'autres lors de cérémonies ou comme décorations. Qu'il s'agisse d'un bol ou d'un panier, d'un tambour ou d'un collier, chacun était précieux à cause de l'usage que l'on en faisait et du temps passé à le réaliser.

De nos jours, plusieurs personnes créent encore de tels objets artisanaux. Il est vrai que rien ne peut remplacer un apprentissage auprès d'un artiste traditionnel. Néanmoins, ce livre t'explique diverses façons d'adapter les techniques pratiquées traditionnellement par les peuples autochtones afin de fabriquer tes propres objets artisanaux.

Si de nouvelles techniques et de nouveaux matériaux sont utilisés, l'âme qui anime la création de l'art et de l'artisanat des autochtones est toujours présente, grâce à la transmission du savoir d'une personne à une autre. Dans ce livre, une petite partie de cette tradition t'est transmise.

Les territoires traditionnels

Sur cette carte, on trouve les territoires ancestraux des tribus amérindiennes citées dans ce livre. Dans certains cas, les frontières de ces territoires ont été modifiées selon les événements historiques vécus. Chaque communauté avait sa propre façon de vivre. Cependant, dans certaines régions où le climat était le même, nourriture, habitations, vêtements et artisanat se ressemblaient.

- Le Sud-Est
- Le Sud-Ouest
- Les Plaines
- Le Plateau et le Bassin
- La Californie
- La côte du Nord-Ouest
- Le Subarctique
- L'Arctique
- Le Nord-Est

1. Aléoute
2. Apache
3. Cayuse
4. Cherokee
5. Cheyenne
6. Chippewa
7. Crow
8. Dakota
9. Fox
10. Haida
11. Hidatsa
12. Hopi
13. Inuit
14. Inupiat
15. Iroquois (Saint-Laurent)
16. Kiowa
17. Kutchin
18. Kwakiutl
19. Makah
20. Micmac
21. Mohave
22. Nez Percé
23. Oneida
24. Penobscot
25. Pima
26. Pueblo
27. Sauk
28. Seneca
29. Tlingit
30. Tsimshian
31. Yuma
32. Zuni
33. Wintu

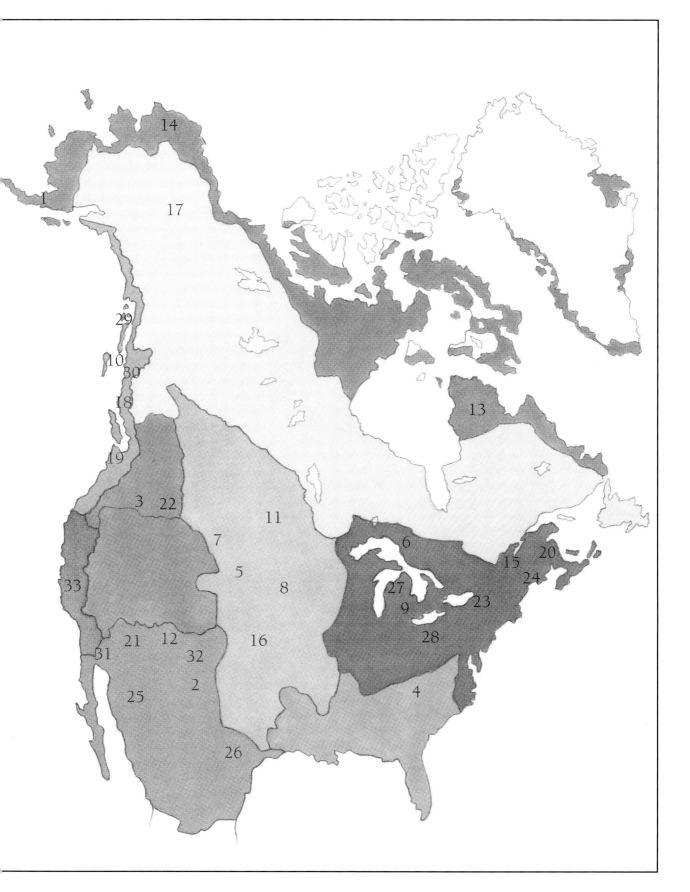

Bijou avec graines et perles

Plusieurs peuples autochtones ont cultivé la terre. Le maïs, les fèves et les courges sont, encore aujourd'hui, désignés par les Iroquois comme étant « Les Trois Sœurs ». Les graines de ces plantes étaient récoltées chaque année pour être replantées au printemps suivant, ou être utilisées à d'autres fins. Plusieurs tribus s'en servaient pour fabriquer des bijoux.

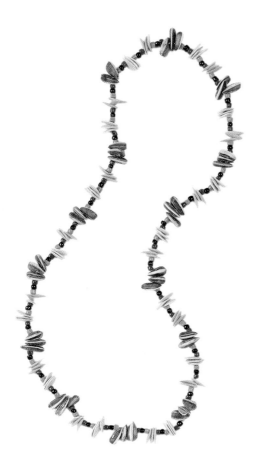

1 Coupe les fruits ou les légumes en deux et retires-en les graines. Nettoie celles-ci et étale-les sur des assiettes ou des plaques à biscuits. Laisse-les sécher à l'air pendant quelques jours ou, avec l'aide d'un adulte, place-les au four à basse température pendant plusieurs heures.

2 Coupe une double longueur de fil pour fabriquer un collier ou un bracelet. Tu as besoin de 60 cm de fil pour un collier ou de 25 cm pour un bracelet. Enfile le fil sur l'aiguille, double-le et fait un double nœud à l'extrémité.

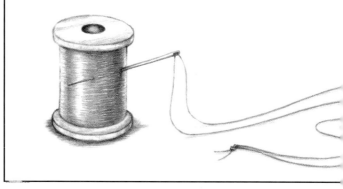

3 Décide de la façon dont tu vas alterner les graines et les perles.

4 Enfile les graines sur l'aiguille, une à la fois. Fais-les descendre à l'extrémité du fil, puis enfile les perles et laisse-les glisser pour qu'elles touchent les graines.

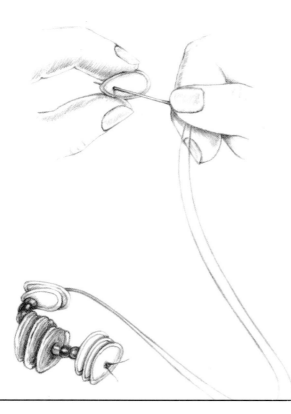

5 Continue d'enfiler les graines et les perles. Fais un double nœud pour fermer ton collier ou ton bracelet. Rends ton nœud plus solide avec une pointe de colle ou de vernis à ongle.

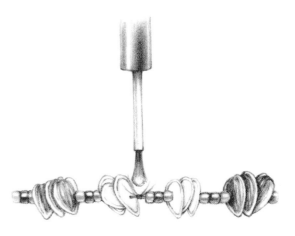

AUTRES IDÉES

• Peins les graines de différentes couleurs avant de les enfiler.

• Utilise des perles de différentes tailles, ou des perles pony.

Collier avec griffes d'ours

Les coquillages, les griffes d'animaux, les pierres et les os gravés étaient utilisés pour fabriquer des bijoux. Les Cheyennes et les Fox faisaient des colliers et des bracelets de cheville avec des griffes d'animaux, des perles et de petits cônes de métal. Ces bijoux étaient souvent portés lors de cérémonies ou d'assemblées spéciales. Ils pouvaient servir à désigner l'appartenance à un clan ou la position hiérarchique de l'individu parmi son peuple. Les motifs illustraient parfois un événement vécu par celui qui portait le bijou.

1 Pour fabriquer des griffes d'ours, façonne des morceaux d'argile en forme de larme, puis courbe-les.

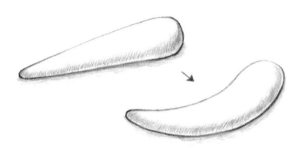

2 Avec un cure-dent mouillé, perce un trou en haut de chaque griffe. Tourne le cure-dent en l'enfonçant dans l'argile. Dépose les griffes sur une assiette pour qu'elles sèchent.

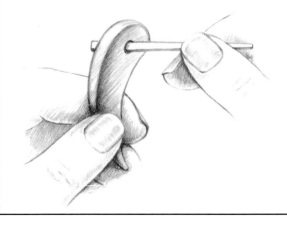

3 Pour fabriquer des perles rondes, façonne l'argile en petites boules. Transperce chacune d'elles avec un cure-dent mouillé. Laisse-les sécher.

4 Pour fabriquer des perles carrées, façonne de petites boules d'argile. Avec tes doigts, donne-leur la forme d'un cube. Perce un trou dans chaque perle et laisse-les sécher. Essaie aussi de fabriquer des perles cylindriques ou rectangulaires.

5 Pour faire un pendentif, façonne une boule d'argile de 2,5 cm de diamètre. Aplatis-la en un disque; mouille tes doigts et lisse-le de tous côtés.

6 Modèle un petit boudin d'argile et fixe-le au haut du disque pour obtenir un anneau, afin de le suspendre. Assure-toi qu'aucun joint ne paraisse. Laisse sécher ton pendentif.

7 Peins les griffes, les perles et le pendentif et laisse-les sécher. Tu peux créer tes propres motifs ou t'inspirer de ce que tu vois dans la nature.

8 Décide dans quel ordre enfiler les griffes, les perles et le pendentif. Avec une aiguille à repriser, enfile-les sur une corde suffisamment longue pour passer par-dessus ta tête. Fais un double nœud solide aux extrémités.

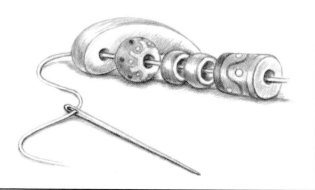

Collier
avec rosette

Les motifs utilisés traditionnellement, pour décorer les vêtements ou les objets de la maison, étaient souvent de véritables œuvres d'art. Les jambières, les chemises, les mocassins et les sacs étaient peints ou brodés de perles. Les Crows et les Kiowas peignaient leurs tipis. Les Cayuses brodaient des plastrons avec des perles et les suspendaient au poitrail de leurs chevaux. Les Chippewas et d'autres peuples fabriquaient des rosettes de perles.

IL TE FAUT :

- un crayon et une règle
- du feutre   • des ciseaux
- une aiguille et du fil à perlage
- de petites perles ou des perles pony

1 Trace deux cercles de 5 cm de diamètre sur le feutre. Découpe-les et mets-en un de côté.

2 Décide de quelles couleurs seront les rangs de perles qui formeront ta rosette.

3 Enfile ton aiguille et fais un nœud à l'extrémité du fil. Couds une perle au centre du cercle. Fais ressortir ton aiguille près de la perle.

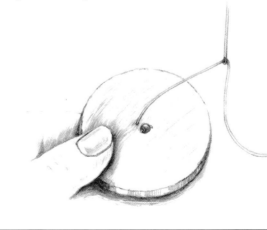

4 Pour faire un cercle autour de la première perle, enfile huit perles. Ferme le rang de perles en faisant passer ton aiguille à travers les deux premières perles.

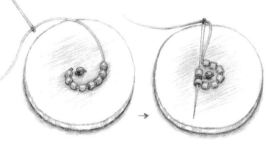

5 Place le rang de perles sur le feutre, autour de la perle centrale. Fixe-le en cousant un point toutes les deux ou trois perles, par-dessus le fil sur lequel ont été enfilées les perles.

6 Continue d'ajouter des rangs de perles jusqu'à ce que tu aies atteint le bord du cercle de feutre.

7 Dépose le second cercle de feutre contre l'arrière de la rosette. Couds les deux cercles ensemble à petits points.

8 Mesure une longueur de fil pour faire un collier que tu peux passer par-dessus ta tête. Enfile des perles sur ce fil. Ferme le collier en faisant passer l'aiguille à travers les deux premières perles, puis en le cousant au haut de la rosette.

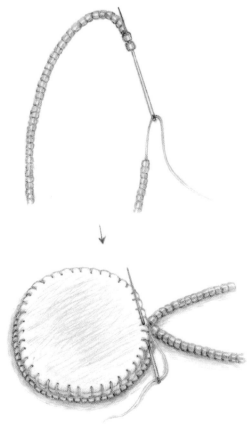

13

Bracelet de perles

Le travail des perles est l'une des plus anciennes formes d'art des autochtones. Des perles façonnées dans des coquillages, des os et des andouillers étaient enfilées sur de la babiche ou des lanières de cuir. Certains travaux de perles étaient fabriqués sur des métiers, d'autres tissages perlés étaient réalisés à la main. Les Micmacs, les Sauks et les Fox utilisaient les perles pour décorer des bracelets et des brassards.

IL TE FAUT :

- des ciseaux et une règle
- du fil de deux couleurs différentes
- 3 aiguilles • des petites perles

1 Coupe six fils de 60 cm de long, quatre d'une couleur, deux de l'autre. Réunis les fils de même couleur deux par deux et enfile chaque paire sur une des aiguilles.

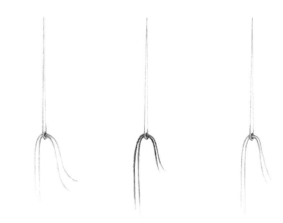

2 Noue les fils ensemble à 5 cm de l'extrémité, et laisse pendre les brins. Enfile quatre perles sur chacune des aiguilles et fais-les glisser jusqu'au nœud.

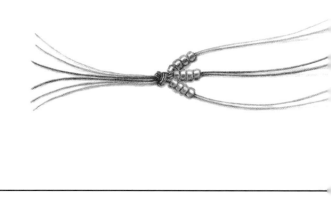

3 Dépose ton ouvrage sur une surface plane. Passe l'aiguillée du haut entre les fils de l'aiguillée du milieu et de celle du bas. L'aiguillée du haut est maintenant en bas.

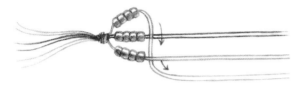

4 Enfile 4 autres perles sur chaque aiguille. Tu peux alterner les couleurs pour obtenir le motif désiré.

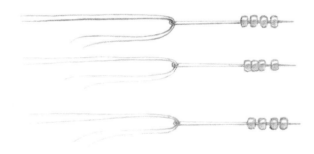

5 Passe l'aiguillée du haut entre les fils de l'aiguillée du milieu et de celle du bas. L'aiguillée du haut, de nouveau, se retrouve en bas.

6 Répète les étapes 4 et 5 jusqu'à ce que ton bracelet soit suffisamment long pour faire le tour de ton poignet.

7 Retire les aiguilles et noue les fils le plus près possible de la dernière section de perles. Coupe les fils en laissant une queue de 5 cm de long.

8 Sers-toi de ces queues pour nouer le bracelet autour de ton poignet.

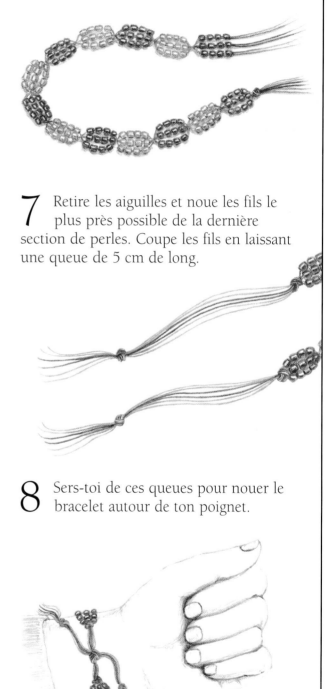

15

Poterie en argile

Les poteries étaient de différentes formes et de différentes tailles. Elles permettaient d'emmagasiner de la nourriture lors des migrations saisonnières ou pour les périodes de disette. Certaines poteries étaient unies, d'autres étaient gravées et ornées de dessins ou de motifs géométriques peints dans des teintes magnifiques.

1 Prends autant d'argile que tu peux tenir entre tes deux mains. Façonne-la en boule. Dépose fermement cette boule sur l'assiette pour que la base s'aplatisse un peu.

2 Enfonce tes pouces au milieu de la boule d'argile. Travaille l'argile en exerçant avec tes pouces une pression de l'intérieur vers l'extérieur et en la modelant avec les autres doigts.

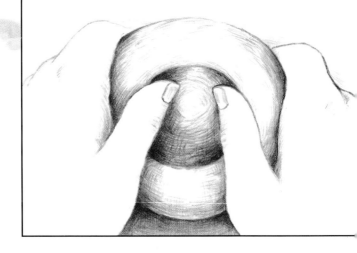

3 Continue de façonner ta poterie en pinçant l'argile entre tes pouces et tes autres doigts et en faisant tourner ta pièce. Si l'argile commence à sécher, mouille tes doigts.

4 Lorsque les parois de ta poterie prennent la forme d'un bol et sont régulières, mouille tes doigts et lisse les surfaces et le bord. Laisse-la sécher dans un endroit chaud pendant une journée.

5 Lorsque ta poterie semble sèche, enlève-la délicatement de l'assiette. Retourne-la et laisse sécher le fond.

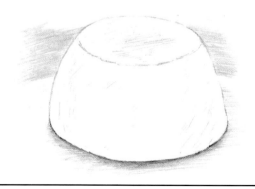

6 Laisse ta poterie à l'envers et peins le fond en premier, en débordant un peu sur les parois. Laisse sécher la peinture.

7 Retourne ta poterie sur l'assiette. Peins l'intérieur et laisse sécher. Lorsque l'intérieur est sec, peins l'extérieur et laisse sécher. Il te faudra peut-être appliquer deux couches ou plus de peinture.

AUTRES IDÉES

- En faisant bien attention, sers-toi du bout d'un couteau pour tracer des lignes et des motifs dans l'argile lorsqu'elle est encore humide.

- Peins des animaux, comme des cerfs ou des oiseaux, à l'intérieur et à l'extérieur de ta poterie.

Sac peint

Les sacs pouvaient contenir des outils pour faire le feu ou des affiloirs pour aiguiser les couteaux. Les Hidatsas portaient une petite sacoche nouée autour de la taille. Les Cheyennes utilisaient des sacs en peau de bison appelés parflèches pour stocker la viande séchée. Les grands parflèches servaient à ranger les vêtements et les couvertures. La plupart étaient peints et brillamment décorés avec des piquants de porc-épic ou de la broderie perlée.

1 Sur le feutre, trace un rectangle de 20 cm sur 14 cm puis découpe-le. Découpe un second rectangle de 17 cm sur 14 cm.

2 Place le petit rectangle sur le grand tel qu'illustré, en le faisant dépasser de 5 cm.

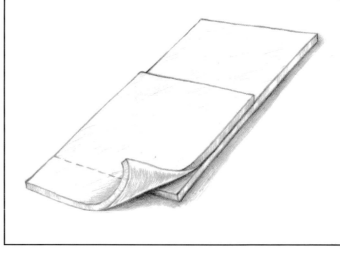

18

3 Enfile l'aiguille, double le fil et fais un nœud au bout. Au point de surjet, couds les deux côtés des rectangles de feutre ensemble.

4 Le bas du sac est l'extrémité avec le petit rabat. Couds les deux morceaux de feutre ensemble au niveau du rabat.

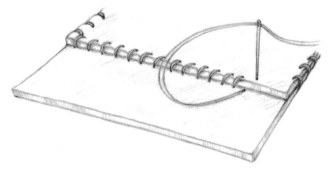

5 Découpe des franges dans le rabat situé au bas du sac. Découpe des franges de 2,5 cm dans le plus grand rabat. Replie ce dernier pour fermer ton sac.

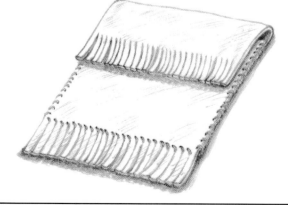

6 Coupe trois morceaux de laine d'au moins 50 cm de long. Noue-les ensemble à un bout, tresse-les et fais un nœud à l'autre bout.

7 Couds les deux extrémités de la tresse sur ton sac, dans les coins intérieurs du grand rabat.

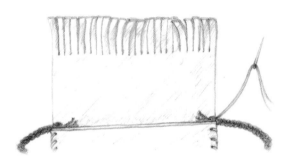

8 Peins des dessins géométriques, des animaux ou des fleurs pour décorer ton sac.

Mât totémique

Certains peuples autochtones se servaient de mâts totémiques pour raconter l'histoire du clan, la généalogie d'une famille, ou pour honorer un membre important de la tribu. Placés devant une habitation, ils représentaient les emblèmes de la famille. D'autres totems, appelés totems de bienvenue, étaient fichés en terre sur la grève pour accueillir les visiteurs. Les familles des tribus Tlingit, Kwakiut et Tsimshian avaient des sculpteurs talentueux qui avaient étudié pendant de longues années pour perfectionner leur art.

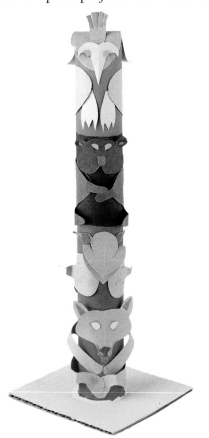

IL TE FAUT :

- un cylindre de carton ou une cheville de bois de 2,5 cm de diamètre et de 25 cm de long
- des ciseaux et un crayon
- de la peinture acrylique de 4 couleurs différentes et un pinceau
- du papier de bricolage de 4 couleurs différentes
- de la colle blanche • du carton épais

1 Trace trois lignes espacées régulièrement autour de la circonférence du tube ou de la cheville. Peins chaque section de couleur différente et laisse sécher. Chaque figure qui ornera ton totem sera collée contre l'une de ces sections.

2 Décide quels motifs orneront ton totem. Tu peux représenter des figures humaines ou des animaux qui ont de l'importance pour toi.

3 Découpe un morceau de papier de bricolage de la même hauteur que l'une des sections du totem et plie-le en deux. Le long de la pliure, dessine la forme du corps de l'une de tes figures totémiques.

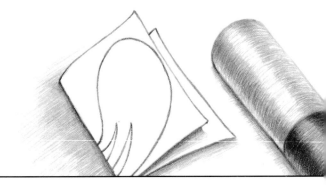

4 Le papier étant toujours plié, découpe la figure. Colle le corps sur le totem, puis, en relief, la queue, les ailes ou les pattes.

5 Découpe la tête et colle-la. Ajoute des yeux, un nez et d'autres détails découpés dans du papier.

6 Répète les étapes 3, 4 et 5 pour chacune des trois autres figures totémiques.

7 Pour la base du mât totémique, découpe un carré de carton de 8 cm de côté et peins-le.

8 Lorsque la base est sèche, encolle le bord inférieur de ton mât totémique et colle-le sur la base. Tiens ton mât ou appuie-le contre quelque chose afin qu'il puisse sécher en restant bien droit.

Mocassins

Les chaussures variaient selon le climat et les matériaux disponibles. Pour se protéger des froids du Grand Nord, les Aléoutes portaient des mukluks ou bottes pour l'hiver. Beaucoup plus au sud, les Pimas fabriquaient des sandales de cuir cru. Les Chippewas et les Kutchins portaient des mocassins de cuir qui pouvaient être fixés aux jambières. Ces chaussures étaient décorées de perlage, de motifs peints ou de franges.

1 Dessine le contour de ton pied sur du papier journal et découpe ce patron.

2 Reproduis ton patron sur le feutre ou sur le tissu. Ce sera la semelle de ton mocassin. Découpe cette forme en laissant une marge d'au moins 2,5 cm tout autour.

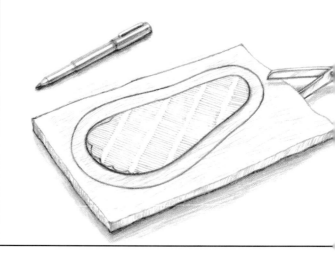

3 Au niveau du talon, trace deux fentes de 2,5 cm de long, espacées de la largeur de ton talon, et découpe-les.

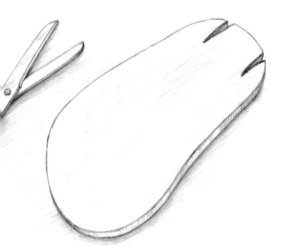

4 Place ton patron sur le feutre pour dessiner le dessus du mocassin. Il doit être un peu plus large sur le coup de pied et doit mesurer environ la moitié de la longueur de ton pied. Découpe-le.

5 Répète les étapes 2, 3 et 4 pour découper les pièces du second mocassin.

6 Pour le revers, découpe un morceau de feutre de 2,5 cm de large, de la longueur de la semelle.

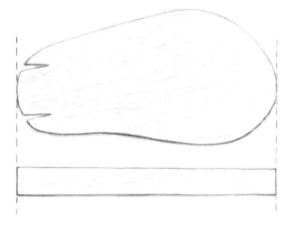

7 Peins des motifs sur les revers et le dessus du mocassin. Laisse sécher.

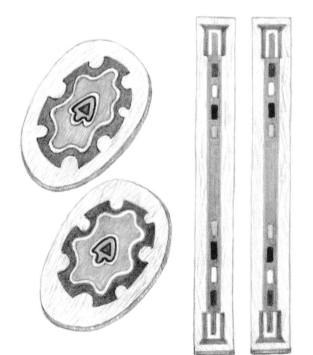

Tourne la page pour la suite des explications. ☞

8 Au point devant, fais une couture autour de la partie avant de la semelle du mocassin, en commençant au niveau du coup-de-pied.

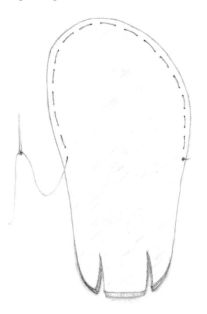

9 Épingle le dessus du mocassin et la semelle tel qu'indiqué. Tire le fil de la couture pour froncer la semelle jusqu'à ce qu'elle s'ajuste au contour du dessus du mocassin. Couds ensemble le dessus et la semelle.

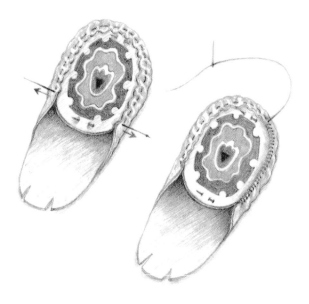

10 Replie les languettes de chaque côté des échancrures l'une sur l'autre et couds-les ensemble pour former le talon. Arrondis le rabat du talon et couds-le en place.

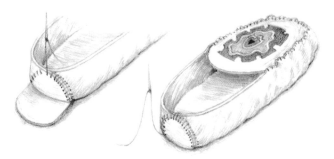

11 Couds le revers.

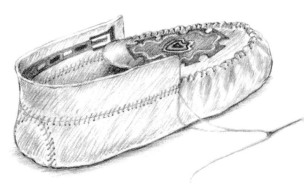

12 Découpe quatre fentes de chaque côté du mocassin tel qu'illustré.

13 Pour le cordon de serrage, découpe un morceau de ruban suffisamment long pour qu'il puisse passer autour du revers et être noué à l'avant.

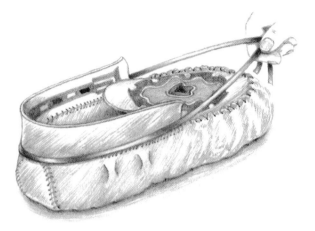

14 Couds le ruban à l'arrière du talon, sous le revers, et fais-le passer dans les fentes de chaque côté du mocassin. Replie le revers.

15 Répète les étapes 6 à 14 pour fabriquer le second mocassin.

• Au lieu de peindre tes mocassins, utilise du fil ou de la laine et brode un motif sur le dessus.

• Fixe quelques plumes ou quelques perles à l'arrière de tes mocassins.

• Fais les revers plus larges et découpe-les en franges.

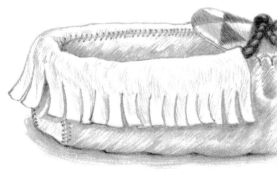

Poupées de maïs

Les peuples autochtones ont cultivé le maïs, ou blé d'Inde, pendant des milliers d'années. Après la récolte, certaines parties de la plante étaient utilisées à d'autres fins que celle de se nourrir. Les Nez Percés tissaient l'enveloppe des épis de maïs pour en faire des sacs délicats et des paillassons. Les Senecas en faisaient des mocassins. De nombreux peuples continuent à fabriquer des poupées en enveloppe d'épi de maïs et en épi de maïs. Voici comment fabriquer une poupée en enveloppe d'épi de maïs comme le font les Penobscots. Cette poupée traditionnelle n'a pas de visage.

IL TE FAUT :

- deux gros épis de maïs
- un couteau
- des ciseaux et une règle
- de la laine • de la colle blanche
- des retailles de tissu et du ruban mince
- une aiguille et du fil
- de la peinture acrylique et un petit pinceau

1 Avec l'aide d'un adulte, coupe la queue des épis et retire les enveloppes. Étale les feuilles de l'enveloppe et laisse-les sécher pendant deux ou trois jours. (Garde l'un des épis pour fabriquer la poupée en épi de maïs de la page 29.)

2 Fais tremper les feuilles de l'enveloppe de l'épi dans de l'eau chaude pendant 10 à 15 minutes pour les assouplir.

3 Superpose six feuilles et lie les pointes ensemble avec une longue fibre mince tirée d'une feuille de l'enveloppe. Fais un double nœud.

4 Sépare soigneusement les feuilles et fais-les retomber par-dessus la pointe pour former la tête. Noue fermement une mince fibre là où sera le cou. Fais un double nœud.

5 Pour les bras, détaille une longue feuille de l'enveloppe en trois bandes. Noue-les à une extrémité avec une fibre. Tresse les bandes et noue-les à l'autre bout avec une fibre.

6 Fais deux autres tresses en suivant l'explication de l'étape 5 et noue-les ensemble pour faire les jambes.

7 Place la tresse pour les bras sous le cou. Enroule une autre feuille de l'enveloppe sur elle-même pour former un petit rouleau et place-le sous les bras pour faire le corps. Rabats les feuilles par-dessus et noue une fibre autour de la taille de la poupée.

8 Insère les jambes sous la taille. Maintiens-les en place avec quelques feuilles qui pendent du corps.

Tourne la page pour la suite des explications. ☞

9 Pour les cheveux, coupe trente morceaux de laine d'environ 18 cm de long. Noue-les lâchement au centre. Ce sera la raie centrale.

10 Noue les cheveux de chaque côté à environ 2,5 cm de la raie. Tresse chaque partie et noue l'extrémité avec de la laine ou du ruban. Colle les cheveux sur la tête de la poupée.

11 Pour la jupe, découpe une bande de tissu d'environ 18 cm de large et suffisamment longue pour aller de la taille de la poupée aux chevilles. Fais une couture à point devant au haut de la jupe.

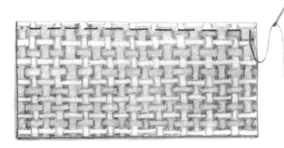

12 Enroule le tissu autour de la taille. Fronce le tissu en tirant sur le fil et noue la jupe autour de la taille de la poupée.

13 Pour faire le châle, découpe une bande de tissu d'environ 2,5 cm sur 15 cm. Enveloppes-en les épaules de la poupée et croise-la sur le devant. Avec un ruban, fixe le châle au niveau de la taille.

Poupée en épi de maïs

3 Pour les cheveux, enroule lâchement trente boucles de laine autour de ta main. Coupe les boucles et noue les brins à une extrémité pour faire une frange. Colle les cheveux sur la tête de la poupée.

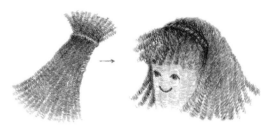

4 Coupe les brins de laine pour que les cheveux arrivent aux épaules. Noue un bandeau autour de la tête de la poupée.

1 Demande l'aide d'un adulte pour couper la queue de l'épi de maïs et en retirer les grains. Laisse l'épi sécher pendant quelques jours.

5 Pour la jupe, suis les étapes 11 et 12 de la page 28.

6 Le corsage est fabriqué de la même façon que la jupe. Découpe une bande de tissu suffisamment large pour que le corsage tombe par-dessus la jupe. Noue un ruban autour du haut du corsage.

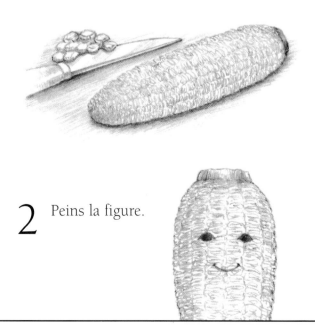

2 Peins la figure.

Poupée en argile

Certaines poupées étaient utilisées lors de cérémonies et conservées de génération en génération; d'autres étaient les jouets préférés des enfants. Les enfants dakotas et apaches avaient des poupées cousues dans du cuir. Les Yumas et les Mojaves fabriquaient des poupées en argile. Quels que soient les matériaux utilisés, les poupées étaient soigneusement peintes et habillées à la mode de la tribu.

1 Pour le corps, façonne un morceau d'argile qui tient dans la paume de ta main en une forme allongée. Modèle quatre boudins d'argile pour faire les jambes et les bras. Les jambes doivent être plus épaisses et plus longues que les bras.

2 Façonne une boule d'argile pour la tête. Pince l'argile des deux côtés pour modeler les oreilles. Perce chaque lobe d'oreille avec un cure-dents mouillé, en le faisant tourner sur lui-même. Assure-toi que les trous soient assez larges pour que des perles puissent y passer.

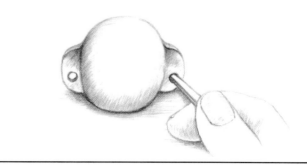

3 Pour le nez, fixe une petite boule d'argile au milieu de la figure. Mouille tes doigts et lisses-en bien les contours.

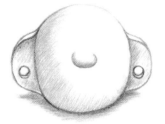

4 Déplie les trombones. Enfonce-les dans le corps, là où seront fixés la tête, les bras et les jambes. Enfonce la tête, les bras et les jambes sur les trombones jusqu'à ce qu'ils soient en contact avec le corps. Lisse l'argile de telle sorte qu'on ne remarque aucun joint. Laisse la poupée sécher pendant quelques jours.

5 Peins des motifs sur la figure, les bras et les jambes. Pour les cheveux, reporte-toi aux étapes 3 et 4 de la page 29.

6 Pour la jupe, découpe un morceau de tissu de 18 cm de large et assez long pour aller du dessous des bras de la poupée à ses chevilles. Fais une couture au point devant le long du haut du tissu. Sers-toi du fil pour nouer la jupe autour de la taille de la poupée.

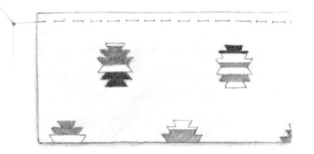

7 Pour les boucles d'oreille, enfile des perles sur une aiguillée de fil. Lorsqu'il y a suffisamment de perles pour former un petit cercle, coupe le fil, enfile-le dans le trou de l'oreille et noue-le pour tenir la boucle en place.

8 Fabrique de la même façon un collier de perles, enroule-le deux fois autour du cou de la poupée et attache-le avec un double nœud.

Bruisseur

Les Pueblos fabriquaient des bâtons qui gémissent nommé bruisseurs. Les Inupiaks jouaient d'un instrument semblable surnommé « hurlement du loup ». Le bruisseur était sculpté dans le bois d'un arbre qui avait été frappé par la foudre. Le « hurlement du loup » était fait d'un fanon de baleine et d'un morceau de défense de morse. Lorsque l'on fait tourner l'un ou l'autre instrument au-dessus de la tête, il émet un son qui imite la plainte du vent ou le hurlement du loup.

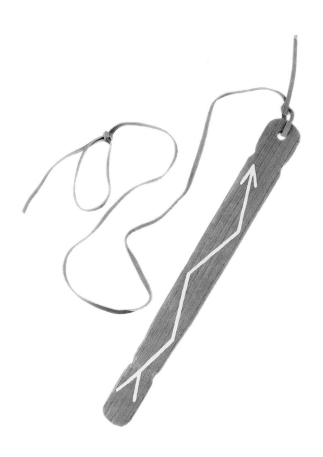

IL TE FAUT :

- Un bâton pour remuer la peinture, disponible dans les quincailleries, ou un morceau de bois d'environ 30 cm de long, 4 cm de large et 0,5 cm d'épaisseur
- du papier émeri • une perceuse
- de la peinture acrylique et un pinceau
- une corde épaisse ou une lanière de cuir de 60 cm de long

1 Sable bien ton morceau de bois de tous les côtés.

2 Demande à un adulte de percer un trou à une des extrémités, assez large pour que la corde puisse y passer. Si tu utilises un bâton pour remuer la peinture, il se peut que le trou existe déjà.

3 Peins des motifs de chaque côté de ton morceau de bois, par exemple un Oiseau-Tonnerre ou des éclairs symbolisés. Tu peux aussi inventer tes propres motifs à partir de lignes et de formes géométriques.

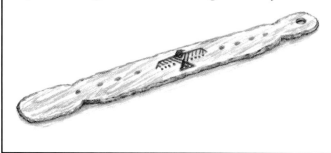

4 Lorsque la peinture est sèche, fais passer la corde ou la lanière de cuir dans le trou. Attache-la solidement avec un double nœud. Si tu le désires, fais une poignée pour tenir ton bruisseur.

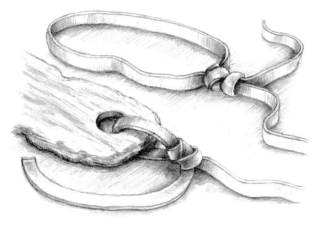

5 Pour faire chanter ton instrument, va dehors dans un endroit découvert où il n'y a personne et fais-le tourner en cercles au-dessus de ta tête ou sur le côté.

AUTRES IDÉES

• Pour décorer ton bruisseur afin qu'il ressemble au « hurlement du loup », peins des loups et d'autres animaux polaires de chaque côté.

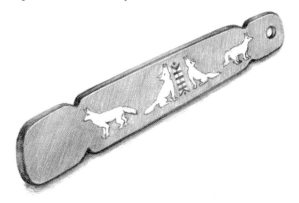

• Fais une poignée à ton bruisseur : demande à un adulte de percer un trou au centre d'une cheville de bois. Enfile ta corde ou ta lanière dans le trou et fais un double nœud solide.

33

Racloir en bois

Toutes sortes d'instruments de musique étaient utilisés pour accompagner les chants et les danses qui avaient lieu lors des cérémonies ou des fêtes. Les Haïdas fabriquaient des sifflets finement ciselés. Les Hopis et les Zunis jouaient dans des flûtes de canne, de cannisse ou de bois. Plusieurs sculptaient des racloirs dans des morceaux de bois.

1 Sable les deux morceaux de bois jusqu'à ce qu'ils soient bien lisses.

2 Demande l'aide d'un adulte pour tailler soigneusement des encoches espacées régulièrement sur les deux bords du racloir.

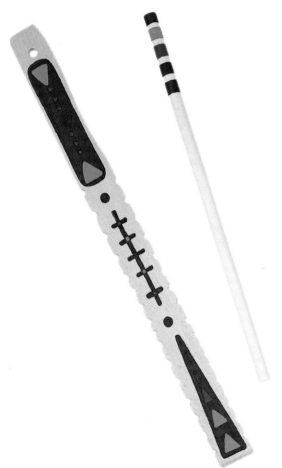

34

3 Peins une série de motifs de différentes couleurs sur les côtés du racloir qui ne présentent pas d'encoches. Laisse sécher.

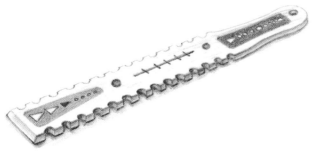

4 Peins des motifs sur le manche du bâton avec lequel tu joueras. Laisse sécher.

5 Pour jouer du racloir, fais courir ton bâton sur les bords irréguliers.

AUTRES IDÉES

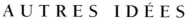

• Fixe des plumes ou des perles à une extrémité du racloir.

• Pour produire des sons différents, joue en tenant le racloir près de l'ouverture d'un tambour retourné.

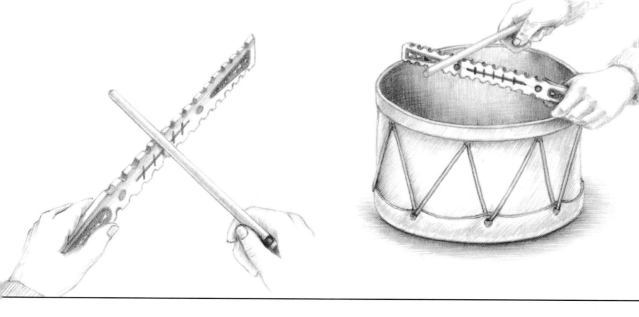

Hochet-tortue

Les tambours, les hochets et les voix s'unissaient pour créer de la musique lors de divers événements. Les Tlingits sculptaient des hochets dans du bois, sous forme d'animaux, d'oiseaux et de figures humaines. Les Makahs enfilaient des coquilles de pétoncles sur des lanières de cuir pour en faire des hochets. Des gourdes évidées remplies de petits cailloux étaient utilisées par plusieurs tribus. Avec la carapace des tortues-boîtes ou des chélydres serpentines (tortues-alligators), les Senecas fabriquaient diverses sortes de hochets magnifiques.

IL TE FAUT :

- Une cheville de bois ou un bâton plus long que le diamètre d'une assiette
- du papier émeri
- de la peinture acrylique et un pinceau
- 2 assiettes de carton
- des ciseaux et de la colle blanche
- des petits cailloux ou des fèves
- des pinces à linge

1 Sable la cheville ou le bâton jusqu'à ce qu'il soit lisse. Peins-le de telle sorte que l'une des extrémités ressemble à une tête de tortue. Laisse sécher.

2 Place les assiettes l'une contre l'autre, bord contre bord. Tiens-les en place et découpe les bords pour que les assiettes rondes deviennent plus ovales et dentelées.

3 Peins la carapace de la tortue sur l'envers d'une assiette. Sur l'envers de l'autre assiette, avec d'autres couleurs, peins le ventre de la tortue. Laisse sécher.

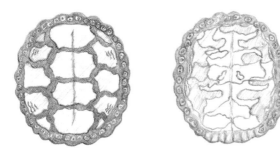

4 Place les assiettes l'une contre l'autre. Taille deux petites encoches de chaque côté, là où seront fixées la tête et la queue. Ceci permettra aux bords de l'assiette de bien s'ajuster autour du bâton.

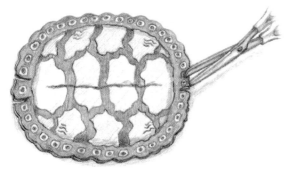

5 Étale de la colle sur le bord du ventre de la tortue. Dépose quelques cailloux ou fèves dans l'assiette.

6 Place le bâton sur l'assiette du fond, dans les encoches, en laissant la tête et la queue sortir. Moule bien le carton sur le bâton, là où sont les encoches. Dépose la carapace de la tortue par-dessus le bâton.

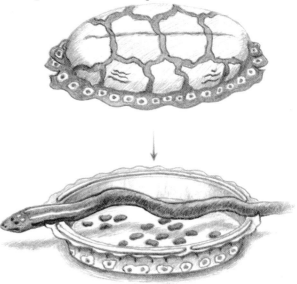

7 Maintiens les assiettes ensemble avec des pinces à linge jusqu'à ce que la colle soit sèche.

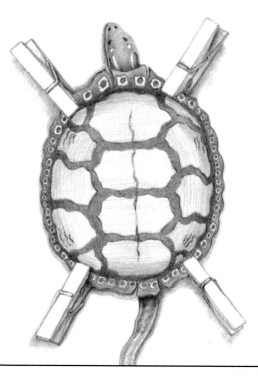

Tambour sur cadre

Plusieurs peuples autochtones affirment que le son du tambour est le son du cœur qui bat. Certains tambours étaient utilisés lors de cérémonies, d'autres pour accompagner les danses. Les Cherokees et les Oneidas fabriquaient des tambours à eau en bois et en peau. Le tambour inuit appartenait à tout le village. Encore aujourd'hui, les tambours et les chants créent une ambiance inoubliable lors d'événements particuliers ou de pow-wow.

IL TE FAUT :

- un plat à gâteau rond, en métal
- un ouvre-boîte
- du papier à étagère autocollant
- des ciseaux, un crayon et une règle
- un morceau de cuir assez grand pour couvrir le dessus du plat à gâteau
- un couteau
- une lanière de cuir de 2,5 m de long

1 Demande à un adulte de découper le fond du plat à gâteau avec un ouvre-boîte.

2 Découpe une bande de papier à étagère de la même largeur que le plat, et d'une longueur égale à sa circonférence. Retire la pellicule protectrice et colle le papier contre le bord du plat.

3 Étale ton morceau de cuir, la partie lisse vers la bas. Dépose le plat dessus et trace un cercle à 2,5 cm du bord du plat. Découpe ce cercle.

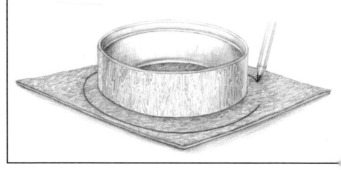

4 Autour du cercle, sur le côté rude du cuir, trace 12 points régulièrement espacés, à environ 2,5 cm du bord. Avec la pointe du couteau, perce prudemment des trous dans le cuir.

5 Découpe la lanière de cuir en six morceaux d'égale longueur. Réserve un morceau. Fais tremper les lanières et le cercle de cuir dans de l'eau chaude pendant environ 15 minutes, jusqu'à ce qu'ils s'assouplissent.

6 Sors les lanières et le cercle de cuir de l'eau et assèche-les. Enfile une lanière dans un trou du cercle de cuir. Fais un double nœud et laisse pendre l'autre extrémité.

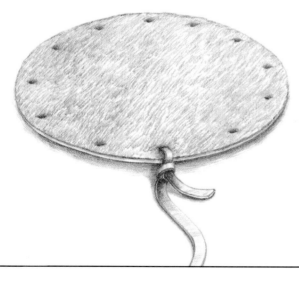

7 Dépose le bord du plat au centre du cercle, contre le côté rude. Passe la lanière au-dessus du plat puis dans le trou opposé. Tends-la et fais un double nœud. Enfile les trois autres lanières et noue-les de la même façon, en tendant bien le cuir, mais en prenant garde qu'il ne se déchire pas.

8 En tendant les deux dernières lanières, enroule-les autour des autres lanières, là où elles se croisent au centre.

9 Place le tambour dans un endroit chaud pour qu'il sèche pendant quelques jours. En séchant, le cuir va rétrécir et se tendre. Tourne la page pour savoir comment fabriquer une baguette de tambour.

CAJ

Baguette de tambour

3 Dépose le bout du bâton au centre du cercle et enveloppe le cuir autour.

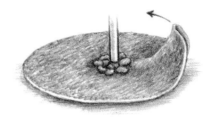

IL TE FAUT :

- une baguette de bois ou une cheville d'environ 30 cm de long
- un carré de cuir de 23 cm de côté
- une lanière de cuir de 20 cm de long
- quelques cailloux

4 Enroule plusieurs fois la lanière de cuir autour du bâton et du cuir. Fais un double nœud.

1 Découpe un cercle de cuir d'environ 10 cm de diamètre.

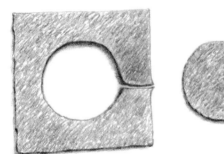

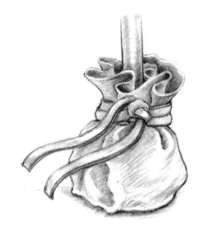

AUTRE IDÉE

- Fixe des plumes aux lanières du tambour ou à celle de la baguette de tambour.

2 Dépose quelques cailloux au centre, du côté rude du cuir.

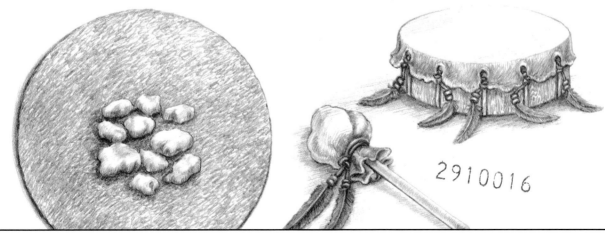

2910016

40

DATE DUE
DATE DE RETOUR

МК   ♀

38-296